삶, goes on

차례

Part 1. 정다영
사유의 조각들

Part 2. 신혜원
안녕히 다녀왔습니다

Part 3. 조예나
사색

사유의 조각들

정다영

언니 같은 남편과 강아지를 키우며 살고 있습니다. 학부에서 성악을 전공했고, 음악교육학 석사 졸업을 하였습니다. 음악과 미술, 책과 귀여운 것들을 좋아합니다.

나를 위한 글쓰기

나는 생각도 많고 걱정은 더 많다.

유년기에는 1년이라는 시간이 굉장히 아득하고 먼 시간처럼 느껴졌다. 중학생이 되어 첫 시험을 치르고 이런 고사를 앞으로 6년간 반복해서 치러야 한다는 것에 얼마나 좌절했던지. 그렇게 느리게 내 곁에서 머물 줄 알았던 시간은 배움의 시기를 지나며 성인이 되자 손안에 쥔 모래처럼 잡히지 않고 빠르게 흘러나가 버리는 듯한 느낌이 든다.

어렸을 때는 걱정 없이 그저 단순하게 생각하며 보냈던 것 같은데, 그건 아마 그 시절의 내가 예상 밖의 일을 겪어본 적이 거의 없기도 했고 실패라는 것을 경험

해보지 않았기 때문일 것이다.

스무 살. 재수까지 해서 목표로 했던 대학에 예비 번호 10번을 받고 딱 내 앞 번호 9번에서 문이 닫혔을 때 "아, 내가 원하던 대로 인생이 흘러가는 게 아니구나." 하며 세상의 냉정함을 처음 느껴보았다. 이후 사회초년생이 되어 다양한 사람들을 만나며 대학원에서 교수님의 텃세도 받아보고, 결혼을 하며 남의 일인 줄만 알았던 고부갈등을 겪기도 했다. 이러한 삶의 경험을 통해 모든 사람이 다 내 생각과 같을 수 없고, 내가 계획한 일들이 예상 범위 안에서 척척 진행될 수만은 없다는 것도 알게 되었다.

30대가 된 나에게 글쓰기는 끊임없이 휘몰아치는 머릿속의 생각을 정리해주는 수단이자, 걱정을 덜고 한 발 더 앞으로 나아갈 수 있게 하는 힘을 주었다. 사회에 나와 직업 특성상 온전히 스스로 주체가 되어 수업자료를 준비하고 연구하며 학생들을 가르치기 시작했을 때, 맡은 업무와 학급 일로 정신이 없었다. 처리해야 할 일들과 생각을 바로 적어 놓지 않으면 집에 와서 잠들기 직전에 "아, 그거

말해줬어야 하는데!"하며 벌떡 일어나기도 하고, 찜찜함에 밤새 잠을 뒤척이기도 했다. 정신없이 흘러가는 일과 속에서 늘 깜빡하기 일쑤였기 때문에 생각나는 대로 적어놓는 버릇이 생겼다. 처음에는 단순히 교무수첩에 그날 처리해야 할 일, 공지해야 할 것들을 메모하는 것에 가까웠다. 하지만 시간이 지나며 수업내용을 고민할 때 떠오르는 영감과 사사로운 생각까지도 글로 쓰고 기록하기 시작하였다. 머릿속으로만 구상한 내용을 글로 옮기지 않고 바로 입 밖으로 내뱉게 되면 두서없이 설명하게 될 때가 있는데, 미리 대본을 쓰면서 내용을 정리한 뒤 설명을 하면 시간에 맞춰 전달하고자 하는 바를 명확하게 전달할 수 있었다.

글을 써서 기록으로 남기는 일은 나의 개인적인 생활에도 파고들어 마음이 답답할 때는 돌파구가 되어주기도 하였다. 고등학교 때부터 알고 지낸 남편과 결혼을 준비하며 시어머니와 마찰이 있을 때에도 차마 하지 못한 말들과 섭섭한 일들을 다이어리에 털어놓으면 한결 마음이 차분해짐을 느꼈다. 무례한 말을 하는 사람을 만났을 때에는 갑자기 말문이 막혀버릴 때도 있는데 속상한 심

정도 글을 쓰는 것으로 어느 정도는 해소가 될 수 있었다.

올해 시간적인 여유가 생기면서 한 주 간의 있었던 일, 취미 생활이나 맛있는 것을 먹었던 소소한 일상들을 사진과 함께 볼 수 있도록 블로그에 기록하기 시작했다. 이렇게 글로 쓴 기록은 한 달 전 7년 반 동안 함께 했던 가슴으로 낳은 강아지가 에번스 증후군으로 갑자기 무지개 다니를 건너게 되었을 때의 지옥 같았던 시간을 견디게 해주었다. 머릿속의 오만가지 부정적인 생각이 꼬리에 꼬리를 물며 쉽게 잠들기도 힘들었던 때, 블로그에 년도 별로 그간의 행복했던 추억이 담긴 사진을 올리고 못다한 이야기를 전하며 함께했던 소중한 시간을 되새기면서 고통스러운 생각에서 조금은 벗어날 수 있었다.

화가 나거나 괴로운 일, 말 못 한 일이 있을 때, 답답한 속사정을 글로 털어내면 한결 편안해진다. 이처럼 글을 통해 흔적을 남기는 일은 나의 무거운 마음의 짐은 덜어내 주고, 기쁜 일들은 배가 되어 오래도록 상기시켜 주는 마법과도 같다.

계절을 닮은 클래식

– 지극히 개인적 취향의 음악 추천

봄

: 들리브 꽃의 이중창

따듯한 계절이 왔다는 것을 알리듯 나무들은 저마다 옷을 꺼내 입고, 사람들은 만개한 벚꽃을 보기 위해 몰려든다. 나 역시 벚꽃 명소 중 한 곳인 석촌호수를 거닐며 봄이 주는 싱그러움을 느껴본다.

나는 학부에서 성악을 전공하였다. 그래서 여러 작곡가들 중 들리브의 곡에 한동안 푹 빠져있던 때가 있었는데, 몽환적이고 신비로운 곡의 분위기에 이끌려 많이 듣고 불러보기도 했다. 그가 작곡한 가곡 중 카디스의 처녀들(Les Filles De Cadiz)라는 집시의 매력을 멜로디에 짙게 표현한 곡이 있다. 당시 이 곡을 부른 연주자의 유튜브 영상 목록이 더 이상 나오지 않을 때까지 들었고, 제자 연주회에 부르겠다고 했다가 화려한 기교와 선율을 소화하느라 진땀빼기도 했다.

들리브가 작곡한 꽃의 이중창은 오페라 '라크메'에 수록된 곡으로, 안나 네트렙코와 엘리나 가랑차가 부른 버전을 가장 좋아한다. 관악기의 아름다운 선율로 봄이 시작됨을 알리면 안나 네트렙코가 묵직하고 관능적인 목소리로 먼저 새들의 지저귐을 표현하고 엘리나 가랑차가 이에 응답한다. 이윽고 서로가 풀어내는 화음을 듣고 있자면 마치 꽃이 만발함을 부지런히 알리는 새들의 속삭임을 유려한 선율에 풀어내며 봄을 흠뻑 느끼게 한다.

여름

: 쇼팽 녹턴 2번

사계절 중 가장 좋아하는 계절을 꼽으라면 단연 여름이 아닐 수 없다. 제철인 열무김치와 복숭아를 실컷 먹을 수 있기 때문이다. 여름이 다가오면 옷차림이 얇아지며 살을 가릴 수도 없건만, 내 식욕은 정점을 찍는다. 6월이 되면 할머니는 열무김치를 담가서 종종 보내주셨다. 이제는 연세가 많이 드셔서 내가 담가 먹을 법도 하지만, 어째서인지 내가 담그면 맛이 없다. 그래서 여름이 되면 막내 작은 엄마와 친정엄마 찬스를 써서 열무김치를 얻어 온다. 열무김치는 그야말로 밥도둑이다. 보리밥에 그냥 먹어도 좋고, 상추 몇장 찢어 넣고 달걀부침 하나에 고추장 한 숟갈, 참기름 한번 둘러 비벼 먹으면 순식간에 없어진다. 그뿐인가? 국물에 담가 열무국수를 해 먹어도 되고, 한 봉지로는 모자라 두 봉지씩 먹는다는 비빔면에 열무김치를 잘게 잘라 넣어 먹으면 세상 꿀맛이다.

복숭아도 빠질 수 없다. 나는 '딱복파'인데 여름이 되어 시장에 슬슬 풀리기 시작할 때의 커다란 딱딱이 복숭아가 가장 맛있다. 아삭하면서 씹히는 맛에 한 상자 사면 금방 먹는다. 2년 전부터는 몸값 비싼 납작 복숭아의 쫄깃한 과육에 빠져 여름은 내가 가장 기다리고 좋아하는 계절이 되었다.

무더운 계절답게 뙤약볕의 쨍쨍한 날씨가 이어질 것 같

지만 7~8월은 장마로 흐린 날이 많다. 비가 오면 옷도 젖고 후덥지근한 습기에 주말에도 밖에 나가지 않고 집 안에서 머물 때가 많은데, 그럴 때면 이 곡이 생각난다.

워낙 유명해서 일상에서 자주 접하게 되는 곡이지만 질리지 않는 곡이다. 피아노를 전공하지 않은 내가 느리고 서툴게 연주해도 서정적인 멜로디에 깊은 울림을 받는 곡이다.

여름밤, 빗방울이 떨어지는 창밖 풍경과 정말 잘 어울리는 곡이기도 하다. 사견으로 2022년 반 클라이번 국제 콩쿠르 우승자인 피아니스트 임윤찬의 연주 버전을 들어보길 추천한다.

가을
: 라흐마니노프 피아노 협주곡 2번

가을이면 밀레의 〈이삭 줍는 여인들〉의 그림과 함께 들판에 황금색의 옷을 입은 벼들이 고개를 드는 풍경이 떠오르고 이 모습은 마치 바이올린을 연주하는 활을 연상케 한다.

부끄럽게도 나는 이 곡을 대학에 입학한 뒤 교수님 연주회를 통해서 처음 접하게 되었다. 내 마음을 강타하는 인생곡을 만난 이날의 충격은 아직도 생생하다.

이때도 막 2학기가 시작된 참이었으니, 가을이었다.

협연을 이끌어 갈 피아니스트가 지휘자와 함께 박수를 받으며 입장하고, 이내 피아노 앞에 앉아 호흡을 다듬고 온전히 연주에 집중하기 시작했다. 피아노 독주가 만들어 내는 작은 소리가 멀리서부터 점점 자신의 몸집을 키우며 무게감 있는 화음을 내기 시작하고, 마치 기다리고 있었다는 듯 현악기들이 일제히 위아래로 활을 갈며 일렁이는 굵직한 선율이 거센 바람을 일으켜 정신을 못 차리게 했다. 아마 시작한 지 몇 분도 안 되어 이 음악에 매료되었던 것 같다.

10년이 훌쩍 지난 지금까지도 갑자기 클래식이 듣고 싶을 때 들으면 항상 그때와 같은 감동을 주는 곡이라고 할 수 있겠다. 라흐마니노프는 198센티미터의 장신에 커다란 손으로 세밀한 터치에 능숙한 피아니스트이자 작곡가였다고 한다. 그래서인지 셈여림의 진폭이 큰 이 곡의 연주에 유독 마음이 술렁이는지도 모르겠다. 수업시간에도 학생들에게 악보와 함께 악상기호의 효과에 관해 설명하면서 악곡을 들려주니 대중가요에 익숙한 요즘 아이들도 금세 빠져들 만큼 반응이 좋았던 클래식 곡 중 하나이다. 피아노 협주곡인 만큼 피아니스트가 풀어내는 연주에 따라 곡의 모습도 사뭇 다르게 와닿는 부분이 있다.

여러 연주자 중 조성진과 손열음이 각기 다른 개성으로 풀어내는 연주를 비교하며 들어보는 것도 큰 즐거움이다.

겨울
: 바흐 무반주 첼로 모음곡 1번

싸늘한 온도로 이불 밖으로 나오기 힘든 날씨엔 이 곡이 생각이 난다. 발걸음이 무거운 출근길에 로스트로포비치가 연주한 바흐 무반주 첼로 모음곡을 듣다가 '나도 한번 이 곡을 연주해 보고 싶다!'는 열망이 생겨 엄마가 취미로 연주하던 첼로를 가져왔다. 관리가 필요한 비싼 수제 악기를 방치해두다가 내가 가져와서 한다고 하니 무척 좋아하는 눈치였다. 음악에 관심이 많은 부모님 덕분에 어렸을 때부터 피아노, 플루트, 바이올린 등 여러 악기를 다뤄보았지만, 첼로는 낯선 악기였다. 일단 크기가 커서 쉽게

가지고 다닐 수가 없었기에 거리를 두고 있었는데 몸집 만큼 울림이 있는 현의 소리에 반했고, 이후 첼리스트인 스티븐 이설리스가 쓴 〈바흐 무반주 첼로 모음곡 안내 서〉라는 책을 보며 첼로의 매력에 푹 빠지게 되었다.

최근에는 로스트로포비치와 어깨를 나란히 한 야노스 슈타커 탄생 100주년을 기념한 페스티벌을 한국과 일본에 서 한다는 소식을 접하고, 설레는 마음으로 흔치 않은 이 연주를 보기 위해 첫날부터 달려갔다.

첼로 독주회이기에 혹시라도 소음을 유발할까 봐 걱정 이 되서 기침 예방으로 사탕도 미리 입안에 넣고, 프로그 램 북도 빠르게 읽고 덮었다. 이윽고 무대를 제외한 객석 이 어두워지고 츠요시 츠츠미의 바흐 무반주 모음곡 1 번 연주가 시작되자마자, 백발의 그처럼 세월이 고스란 히 담긴 악기가 내는 유려하고 부드러운 선율이 긴장된 마음을 풀어주며 따스하게 나를 어루만져주었다.

진심은 통한다.

엄마는 교단에 있다가 작년에 정년퇴임을 했다.

주변의 만류에도 우리 세 남매를 할아버지, 할머니에게 맡길지언정 학교에서 학생들에게 미술이라는 교과를 가르치는 것이 너무 재미있고 행복하다며 절대 일을 놓지 않았다. 주말에는 학생들과 미술관으로, 놀이동산으로 돌아다니며 몇몇 언니들은 종종 우리 집에서 잠을 자고 가기도 했다. 사제동행 전시회에 참가한다고 같이 저녁을 먹는 날이 드물었고, 집에서 밤늦은 시간에도 학급 학생들의 생일선물을 포장하는 엄마를 보면서 "내 생일은 깜빡하면서 다른 애들 생일은 일일이 다 챙겨주네?"하며 섭섭한 마음에 나는 저렇게 되지 말아야겠다고 다짐

하기도 했다.

첫 담임을 맡게 되었을 때의 일이다. 모든 게 서투른 나에게 옆자리 선생님은 맡은 업무를 능숙하게 척척 해내고 학급 학생들 한 명 한 명에게 생각지 못한 부분까지도 신경을 쓰는 여러모로 배울 게 많은 사람이었다. 학급경영을 위한 자료도 도움을 많이 받았다. 당시 그 선생님 반의 학생이 개인적인 일로 문제가 생겨 상담하다가 퇴근 시간이 훌쩍 넘었을 때였나, 단둘이 있을 때 문득 궁금한 마음에 물어보았다.

"선생님~ 에너지가 정말 대단해요. 힘들지 않아요?"
"힘들긴 한데... 전 믿어요. 진심은 통한다고"

시험기간 전 일요일 밤, 힘내라는 메시지와 간식 꾸러미를 포장하며 갑자기 어린 날의 지키지 못한 다짐이 생각났다.

결국 다 같은 마음인 것을.

모든 직군의 사람 중 자신의 위치에서 힘 안 들이고 일하는 사람은 없다. 그중에서도 뛰어난 사람이 있고 나태한 사람이 있듯이 교사라는 직업도 마찬가지다. 보람 있지만 단순히 교과만 가르치는 게 아니기에 적성에 맞지 않으면 오래 하기 힘든 일이기도 하다. 미디어에서는 이따금 교사와 학생, 학부모 간의 마찰을 다룬다. 뉴스에서 흘러나오는 이야기를 들으며 엄마도 비슷한 말을 한다. "애들도 다 알아. 이 선생님이 날 진심으로 대해주는지 아닌지 말이야."

물론 인간관계에서 모든 걸 쏟아 부어도 내 사람이 아닌 사람은 곁에 없듯이 그런 마음이 통하지 않는 학생도 있다. 하지만 그렇지 않은 경우가 더 많을 것이라 믿고 싶다. 사람 사는 곳이 그러하듯 예외란 있는 법이지만, 학생들에게 애정이 어린 마음과 시간을 쏟는 교사들도 많기 때문에.

엊그제 만난 것 같은데 벌써 3학년이 되어 졸업식을 마치고 교무실로 찾아온 제자의 편지를 읽다가 뜻밖의 위로를 받았다.

작년은 유난히 바쁘고 힘든 해였다. 학생생활부 업무와 상담이 많기도 했고, 담임으로서 신경 써야 할 일 외에 음악과의 일도 버겁게 느껴질 때가 있었다. 학기 말에는 눈

코 뜰 새 없이 몰려드는 일거리와 사건·사고에 집에 오면 바로 쓰러져 잠드는 날도 많았다. 개인적인 일로 건강도 좋지 않았다. 아무도 강요하지 않은, 내가 좋아서 하는 일이지만 조금 지치기도 했다.

글로 적다 보니 핑계를 먼저 장황하게 늘어놓은 것 같아 민망하다. 어쨌든 그래서 점심시간에 나를 보러 종종 찾아오는 아이들에게 제대로 눈길을 주지도 못했다. 딱히 챙겨준 것도 없는데, 편지에 적힌 깨알같이 작은 글씨를 읽어 내려가다가 유독 한 문장에 시선이 갔다.

"학생생활부 가끔 오면 항상 선생님이 바쁘신 것 같아서 보면서 아무 일도 안 일어나서 안 바쁘셨으면 좋겠다는 생각이 자주 들었던 것 같아요."

나를 위해주는 순수한 마음에 감동해서였는지 잘 챙겨주지 못한 미안함에 그랬는지는 모르겠지만 이제 막 17살이 된 어린 제자에게 내 마음을 들킨 것 같아 눈물이 왈칵 쏟아졌다.

책 다이어트

　다독가(多讀家) 중에 자신의 의견만을 내세우는 독불장군인 사람은 없다. 그만큼 책이라는 것은 여러 저자의 견해를 들여다본 내공이 쌓여 어떤 상황에서든 고립되지 않고 유연한 사고를 할 수 있게 만든다. 박학다식하여 아는 것이 많은 사람과 시간 가는 줄 모르고 대화를 나눌 때처럼, 책은 우리의 견문을 확장해 준다. 나아가 요동치는 세상의 파도를 가장 앞서 탈 수 있도록 도움을 준다.

　초등학생 때 독서광인 아빠가 요즘 서점 신간 도서인데 엄청나게 인기라고 하며 조앤 롤링의 〈해리포터와 마법사의 돌〉이라는 책을 사다 줬다. 흡입력있는 스토리에 다음 시리즈가 나오는 날이면 서점에 달려가 사서 읽고 1권부터 돌아가 몇 번이나 반복해서 읽기도 했다. 이때부터인가 책이 주는 매력에 푹 빠져 습관처럼 서점을 왕래하기 시작했다.

어지러운 서재와 바닥부터 탑을 쌓기 시작한 책들을 훑어보며 책을 좋아해서 사는 건지 책을 사는 것을 좋아하는 건지 헷갈린다.

개인적으로 소장하고 싶은 책은 제외하고,
어쩌다 보니 2권인 책
충동구매를 하여 도저히 책장이 넘어가지 않아
읽지 못한 책
한 번 더 읽지 않아도 되는 책
필요에 의해 샀지만, 이제는 구실이 없어진 책
정보전달이 목적이지만
오래되어 업데이트가 필요한 책 등을 모아 정리했다.

남편과 100권이 넘는 책을 분류해 노끈으로 묶으며 앞으로는 책을 살 때 한 번 더 생각하고 도서관에서 빌릴

수 있으면 빌려서 읽어야겠다는 생각도 잠시

　"이렇게 많이 정리했으니, 당분간은 죄책감 없이 책을 살 수 있겠어."라는 말이 불쑥 튀어나왔다.

　약속이 있는 날 외출을 했다가 집으로 돌아오는 길에 자연스럽게 발길이 서점으로 간다. 요즘 관심있는 분야의 책들을 구경하며 자기 합리화를 한다.

　'몇 권 더 사는 건 티도 안 나지. 정리했잖아.'

　마치 매일 입으로만 다이어트한다고 말하며 끊임없이 먹고 있는 내 모습과 겹쳐졌다.

말하지 않아서 더 애틋한

출근을 앞둔 일요일 저녁, 평소 충동적인 것과는 거리가 먼 남편이 갑자기 강아지를 키우고 싶다고 해서 운명처럼 한눈에 반해 데려오게 된 밀키는 작은 몸으로 우리에게 커다란 사랑과 믿음을 준 대체 불가능한 존재였다. 나와 남편이 결혼하고 신혼 초 생활부터 같이했기에 셋이서 모든 처음을 함께한 셈이다. 온전히 둘이 책임져야 하는 첫 생명체라 실수투성이였지만 그래서 더 애틋하고 각별했는지도 모르겠다.

밀키는 특별했다. 동물에 무심했던 할아버지 할머니를 비롯하여 엄마 아빠까지도 밀키만은 예외였다. 굳이 말하지 않고 눈빛만 봐도 통한다는 게 어떤 건지 밀키를 통해 알 수 있었다.

　남편과 둘만 산책하러 나갔다 들어온 날이면 현관문이 열리자마자 부리나케 나를 찾아와 다녀왔다고 몸을 비비며 인사하고, 가고 싶은 곳이 있을 땐 앞장서서 가다가도 얼굴로 방향을 가리키면서 우리를 쳐다봤다.

　안아주려고 손을 내밀면 바로 안을 수 있도록 재빠르게 몸을 뒤로 척! 하며 돌려주는 센스쟁이였다.

　우리사이에 다가와 치대며 애교를 부리기도 하고, 남편과 둘이 싸우다가 언성이 높아지기라도 하면 슬며시 다가와 그만하라며 중재하기도 했다.

　보이지 않는 실로 감정이 연결된 것처럼 속상한 날 눈물이라도 흘리면 곁에 다가와 다리에 손을 척 올리고 지긋이 쳐다보기도 했고, 내가 기분이 좋을 땐 본인도 신나서 거실을 토끼처럼 깡충깡충 뛰어다녔다.

　가족구성원 중의 한 명이라도 돌아올 시간이 되었는데 안 들어오면 문 앞에서 서성이며 걱정하고, 남편이 출장을 가서 집에 안 들어오는 날은 항상 침대에서 자는 걸 마다하고 현관 앞에서 잤다.

심심할 때는 장난감을 가져와 앞에 떨어뜨리며 던지라고 했는데, 숨기고 어디 있느냐고 물어보면 찰떡같이 알아듣고 찾아오곤 했다.

냄새나거나 더러운 곳을 싫어해서 배변 패드가 지저분하면 소변도 참고 나를 쳐다보며 치우라고 눈치를 주었고, 마실 물이 깨끗하지 않으면 먹지 않고 물그릇 앞에서 빤히 쳐다보며 갈아달라고 재촉하는 깔끔이였다.

올해 초, 애견 동반 레스토랑에 갔을 때의 기억은 아직도 생생하다.

몇 번 와봤다고 기다리면 음식이 나오는 줄 아는지 얌전히 앉아 기대에 찬 눈빛으로 나를 보는 모습이 얼마나 사랑스럽던지...

시간이 조금 지나 고민 끝에 동생인 피치를 데려왔는데 자신이 아끼던 장난감과 집도 모두 양보하고 살뜰히 피치를 챙기며 함께 외출할 땐 앞장서서 겨울엔 바람도 먼저 맞아주고, 다른 강아지로부터 지켜주기도 했다.

먹는 거라면 눈이 뒤집히는 피치와는 다르게 식탐도 거의 없어서 밖에서 모르는 사람이 주는 간식은 먹지 않았고, 집에서도 배가 고프지 않을 땐 간식을 숨겨놓고 먹지 않는 도도한 강아지였다.

피치를 데려오면서 알게 된 밀키의 여러 가지 다른 행동으로 우리를 100퍼센트 신뢰하고 있다는 걸 알 수 있었다. 일단 깜짝 놀랄만한 상황에도 우리가 있으면 놀라지 않았고, 안아주면 몸을 맡기고 코를 골며 금세 깊은 잠에 빠지곤 했다. 낯선 곳에 데리고 가도 자길 두고 갈 리 없다는 듯이 불러도 모른척하고 이곳저곳 탐색하기에 바빴다. 특히 우리가 말을 걸 때면 항상 작은 얼굴을 양쪽으로 갸웃거리며 열심히 생각하고 반응했다.

우리는 늘 함께였다.

나의 대학원 졸업식에도 참석해 축하해주었고, 할아버지가 돌아가실 때에도 함께했다. 성묘도 항상 같이 갔다. 인생의 가장 힘든 시기에 밀키가 있어 버틸 수 있었다.

여름휴가 때에는 송도, 남해, 부산 해운대, 파주, 목포 등 함께 갈 수 있는 곳은 어디든 같이 떠났다.

피곤하진 않았을까, 오히려 집에 있는 게 건강에는 더 좋지 않았겠느냐는 생각도 했다. 하지만 사진을 정리하며 우리가 함께 걸었던 남해의 아침 산책길, 부산 해운대의 바닷바람을 쐰 순간, 송도의 센트럴 파크에서는 걷기 싫었던 밀키가 바닥에 엎드려 꼼짝도 안 해서 난감했던 순간 그 모습이 너무 귀여워 영상으로 남긴 일, 목포 평화광장에서 춤추는 음악분수를 함께 보고 피치와 같이 바다를 배경으로 인생 사진을 남겼던 날 등 찰나의 반짝이는 순간들을 되돌아볼 수 있다는 것이 조금의 위로가 되었다.

반려동물 상실 증후군(Animal Loss)은 말 그대로 자신이 키우는 동물을 떠나보낸 뒤의 슬픔과 괴로움의 감정으로 이따금 가족의 죽음과도 견줄 수 있을 만큼 고통스러워하는 것이라 한다. 인간은 말할 수 있는 동물이기에 가까운 사이일지라도 서로 상처를 주는 일도 많다. 그런 의미에서 동물은 우리에게 상처를 주지 않기에 더 슬픈 것일까? 아마 겪어보지 않은 사람은 모를 것이다.

말할 수 없기 때문에 몸짓, 눈빛으로 열심히 소통하며 오직 나만을 바라보며 주는 무한한 사랑과 믿음이 어떤 것인지 말이다, 안타까운 건 사람보다 삶의 시간이 너무 짧다는 것이다.

갑작스럽게 이별의 시간을 맞이했을 때 빌고 또 빌었다. 다시 한번만 기회를 달라고, 내 남은 수명을 반씩 나눠서 살게 해달라고....

〈얼굴도, 성격도, 냄새도 내 이상형, 밀키에게〉

너와 함께하는 하루하루 매 순간이 당연하지 않은 매일이었음을 왜 그 땐 몰랐을까?

네가 항상 옆에 있어 줄 거라는 멍청한 생각을 했었네.

아직도 현관문을 열면 네가 달려올 것만 같아.

자기 전엔 너의 배에 얼굴을 파묻고 내가 좋아하는 냄새를 흠뻑 맡는 평범한 일상이 사무치게 그립다.

너의 존재감이 너무 커서 아직도 실감이 나질 않는 것일지도 모르겠어. 우리는 조카를 보면서도 너와 별반 다르지 않다 느꼈어. 그만큼 넌 우리에게 의사소통이 잘 되는 어린아이와 같았지.

항상 좁게만 느껴지던 집도 지금은 너무 텅 빈 것만 같이 느껴진다. 몇 달 전 병원에서 검사한 이후로 건강하다고 해서 내가 너무 방심하고 안일하게 생각하고 있었던 걸까. 낮에만 해도 신나게 뛰놀던 네가 밤에 혈뇨를 보고 달려간 병원에서 방광염이라며 항생제 처방을 받았는데...

일주일간의 피 말리던 시간이 지나 그렇게 갑자기 너를 보내고 며칠 동안은 어디서부터 문제였던 걸까 생각해 보기도 했어.

치사율이 높아 골든타임이 중요한 〈에번스 증후군〉을 방광염으로 오진한 뒤 다음 날에도 항생제 부작용일 수 있다며 지켜보자고 했던 첫 번째 병원.

그 수의사의 권유로 간 24시 동물병원에서 2차 수혈 후 호흡이 힘든 너를 보며 "왜 숨이 거칠지"라고만 말하며 정확한 원인도 찾지 못하고 어떤 물음에도 대답도 치료도 보수적이었던 두 번째 병원.

앞으로의 치료 방법을 묻는 나에게 그제야 3차 수혈을 해야 하고 오늘 밤이 고비라며 죽을 수도 있다는데 난 이대로 너를 보내는 건 생각도 해 본 적이 없어서 여기저기 수소문해 2시간이 걸려 찾아간 병원에서는 현재 상태와 치료 방향을 안내받은 지 몇 분이 채 되지 않아 넌 심장이 멈췄고, 정신없는 상황에서 심폐소생술 외 무슨 소용이었을지 모를 비싼 약물을 계속 투여한 세 번째 병원.

2차 심폐소생술 후 이제는 보내줘야 한다는 말에 얼마나 세상이 무너졌는지...

나는 왜 이렇게 밖에 대처를 못 했는지 내 탓도 해보고, 1500만 반려인 시대에 자식이나 다름없이 키우는데 어떤 사람은 왜 일본까지 가서 수술을 받는지 뼈저리게 느낀

처참한 현실과 능력 없는 수의사를 만난 걸 탓하기도 했어. 지금은 그냥 네가 없는 빈자리가 너무 커서, 문득 문득 너의 행동과 얼굴과 냄새가 그리워서 하염없이 눈물이 나.

너와 다르게 단순한 피치는 이 과정을 모두 함께했지만, 이 상황을 모르는지 아직도 현관 앞에서 널 종종 기다리곤 해. 우리의 이런 큰 슬픔이 너를 향한 사랑하는 마음이 너무 커서 그런 거로 생각하고 이해해 줘.

무지개다리 넘어 먼저 간 나의 할아버지와 즐겁게 지내며 맛있는 것도 실컷 먹으면서 우릴 기다려줘도 되고, 네가 괜찮다면 사람으로 태어나서 다시 만날 수 있다면 좋겠다. 어떤 모습이든 난 널 알아보고 또 사랑할 거야.

에번스증후군이 왜 생기는지 칼럼 자료나 세미나 글을 읽어보고 수의사에게 물어봐도 정확한 이유는 알 수 없었지만, 스케일링하다가도 발생할 수 있고 산책을 30분 하다가 1시간 하거나 스트레스를 받아도 생길 수 있고, 이유 없이 갑자기 발병하기도 한다는데, 우리는 네가 7년이 넘는 길지 않은 시간 동안 누구보다도 많은 에너지를 쓰느라 조금 먼저 돌아갔다고 생각하기로 했어.

부족한 우리에게 와줘서 고마워. 넌 기쁨이자 사랑 그 자체였어. 나에게 온전한 사랑을 알게 해준 널 절대 잊지 않을게. 머리부터 발끝까지 전부 내 이상형이었던 밀키.

너를 다시 만나는 날을 기다리며

대화를 끝내고 돌아가려는데

우리 같게~

꿈에 밀키가 나왔다.

문앞에서 자기도 데려가자며 끙끙댔다.

나도 같이가!

왕!

친정에서 이야기를 하는데

밀키를 품에 꼭 안고 집으로 돌아왔다.

꾹

가자!

현관으로 밀키가 들어왔다.

번쩍!

안녕히 다녀왔습니다

신혜원

주말에는 시골집에 갑니다. 공간과 사물에 관심이 많아 인테리어잡지를 구독하고 있습니다. 여행과 영화를 즐기고 서점에서 시간 보내는 것을 좋아합니다. 요리를 잘하는 남편과 사랑스러운 두 딸과 단란하게 살고 있습니다.

My Little Garden

시골 마당 있는 집에 조그만 정원이 있다.

봄, 여름, 가을, 겨울마다 정원은 파노라마처럼 색깔이 바뀌고 각기 다른 향기로 후각을 자극한다. 겨우내 갈색의 마른 몸을 단단히 뿌리박은 채 최소한의 숨만 쉬다가 하얀 눈꽃을 피우기도 한다. 나는 '눈꽃 정원'에서 눈사람을 만든다. 도시의 눈은 잿빛으로 탁한 색이다. 그리고 금방 사라진다. 시골 마당 새하얀 눈꽃 정원은 봄이 오기 전까지 오래오래 흔적을 남긴다.

꽁꽁 얼었던 땅을 뚫고 삐죽이 고개를 내미는 튤립, 히아신스, 무스카리, 크로커스, 수선화 구근의 앙증맞은 초록

잎이 봄이 왔음을 알려준다. 작약은 분홍빛 새순을 땅 위로 힘차게 밀어내고 목단 나무에도 꽃봉오리가 빠알갛게 맺힌다. 꽃 잔치가 곧 벌어질 참이다.

이제는 본격적인 정원 일을 시작하라는 신호이기도 하다. 묵은 나뭇가지들을 전지하고 마른 잔디 위에 떨어진 나뭇잎들을 긁어내고 부산하게 움직인다. 살구꽃, 매화꽃, 자두꽃, 앵두꽃들이 통통하게 살이 오른 꽃봉오리를 맺고 "다음은 우리 차례예요. 기대해도 좋아요." 하며 으스댄다. 파리에서 꽃이 탐스럽고 키가 컸던 다알리아를 처음 보고 첫눈에 반했었다. 그 다알리아 구근과 아버지가 좋아하시는 백합 구근, 클레마티스를 사러 꽃시장에 간다.

비가 내리는 날도 정원은 분주하다. 비에 젖은 잡초들은 쑥쑥 잘 뽑히고 꽃모종들을 옮겨심기에 좋다. 잔디보다 더 강하게 실하게 자라는 풀과 실랑이 하듯 잡초를 뽑다 보면 어느새 머릿속은 비워지고 편안해진다. 나는 이것을 '풀멍'이라 부른다.

자연 속에서 살면서 자신의 감각 기능을 온전하게 유지

하는 사람에게는 암담한 우울이 존재할 여지가 없다는 말에 절로 수긍이 된다. 분주히 정원에서 일하는 가족들의 모습을 본 친구가 안쓰럽게 바라보길래 "우리는 노는 거야. 일이면 못하지."라고 웃으며 대꾸했다.

고광나무엔 그윽하고 우아한 향기를 품은 순백색 꽃이 피었고, 그네 옆에 있는 크고 오래된 대감 항아리엔 오렌지빛 채도의 한련화가 소복하게 피었다. 타임의 보랏빛 잔잔한 꽃들과 바늘꽃이 피기 시작했다. 백합 줄기와 다알리아 줄기에도 꽃대가 맺혔다.

마당엔 짙은 꽃향기가 가득하고 저마다 꽃들은 피어날 준비를 성실히 하고 있다.

자연에 대해 풍부한 언어를 갖게 된다는 건 세상에 대해 풍부한 이해를 할 수 있게 된다는 의미이다. 정원에서 나는 큰 우주를 발견한다. 세계의 확장이다.

목수국이 한창 꽃을 피우기 직전인 비 내리는 여름 정원은 고요하고 부드럽다. 꽃이 활짝 핀 모습보다는 갓 피어나 잔뜩 꽃송이를 웅크린 채 수줍게 고개를 내미는 모습이 순수하게 예쁘다. 보랏빛 꽃들이 층층이 피어나는 층

꽃이 국화가 피기 전 정원을 채운다. 모과나무엔 노란 모과가 가느다란 나뭇가지에 매달려있고 오래된 감나무엔 감이 주렁주렁 열렸다.

가을 정원은 가을걷이로 분주하다. 장대로 감을 따서 지푸라기를 깔아 놓은 상자에 켜켜이 저장해, 겨울 내내 달콤하게 말캉해진 연시를 꺼내 먹는다. 모과를 따서 차를 담그고, 알이 크게 맺힌 대추를 수확한다.

정원에서 자연을 관찰해보면 격한 것, 잔잔한 것, 은은한 것, 대비가 강렬한 것 등 사람 마음과 닮았다는 것을 알게 되고 저절로 마음공부가 된다. 정원을 가꾸다 보면 나도 모르게 명상가가 된다. 계획된 공간에 자리를 잡은 하나하나의 식물은 우리에게 각기 다른 색과 냄새, 그리고 기억을 선사한다. 사람의 오감을 깨워주는 정원을 가꾼다는 것은 몸과 마음에 유익한 공간을 창조해 나간다는 것을 의미한다. 이 과정에서 얻는 행복감이 정원이 주는 치유의 효과이다.

정원은 개인적인 영역이자 개인의 세계다. 가꾸는 사람

의 정성과 취향, 삶과 철학이 반영된 장소이다. 누군가를 정원으로 초대하는 것은 나의 삶을 나누는 것이다. 나를 위해서, 정원을 찾는 손님을 위해서, 무엇보다 우리 삶의 질을 위해서, 능력이 닿는 만큼, 소박하게라도 가꾸고, 꾸미는 것이다. 나른한 더위로 맑게 개인 푸른 하늘 아래 예쁘게 자리 잡은 정원을 바라보는 느낌이 더 할 나위 없이 좋다.

럭셔리의 끝은 '자연'이라는 글을 본 적이 있다. 정원을 관리하는 여유를 갖는다는 것은 자연의 호사를 누릴 준비가 되어 있다는 의미이기도 하다. 물론 정원을 갖는다는 것은 그만큼 부지런하고 정성을 쏟아야 하는 에너지가 요구되는 힘든 과정이 필요하다. 때론 고되지만 정원은 그것마저 잊게 해주는 더 큰 정신적인 에너지를 선물 해준다.

Little Kitchen Garden

정원은 감상이 주목적이지만 경작의 목적도 있다. 식재료를 위한 텃밭 정원이 대표적이다. 흔히 부엌 정원(Kitchen Garden)이라고 부른다.

'Little Kitchen Garden'이라는 단어를 소설책에서 처음 발견하고 가슴 두근거렸던 순간이 있었다. 우리집 부엌에서 사용되는 식재료 중 하나인 채소를 기르는 공간이 텃밭이기에 그 둘은 밀접하게 연결되어 있기 때문이다.

내 음식에서 가장 중요한 기본양념은 집간장, 된장, 묵은 천일염, 오래된 매실청 그리고 들기름이다. 내 음식 조리법은 간단하고 재료는 신선하다.

어릴 적, 엄마는 텃밭에서 자란 아욱을 툭툭 끊어서 아

욱 된장국이나 아욱죽을 끓여 주셨다. 이 '아는 맛'이 지금
나의 요리의 뿌리가 되었다.

시골집엔 아담한 크기의 장독대가 있다. 그곳에는 씨간
장을 가득 채운 큰 항아리, 중간 크기의 고추장과 된장 항
아리, 달콤한 매실청 항아리 그리고 천일염의 간수가 빠지
도록 금이 간 소금 항아리가 있다.

겨울이 오기 직전에 수확을 마친 빈 밭에 뿌렸던 시금
치 씨앗이 겨울 눈바람을 맞으며 꽁꽁 언 땅 위에서 싱싱
하게 자라 있다. 얼어 힘을 잃은 대파를 잘라 겉껍질을 벗
겨내니 부드러운 속살이 싱싱하다. 홍합탕에 대파를 넣어
끓이고, 국간장을 살짝 넣고 무친 시금치나물은 마치 냉이
와도 같은 향긋함이 감돈다.

겨우내 텅 비어 있던 텃밭은 사월이면 한 해 농사를 위
한 준비로 바빠진다. 고랑을 만들고, 햇빛을 차단해 잡초
가 나지 않도록 검은 비닐을 덮고 모종을 심는다. 해마다
심는 작물들은 대개는 비슷하다. 추위에 비교적 강한 상추
모종을 시작으로 고추, 가지, 토마토, 오이, 참외, 수박. 양
배추, 호박, 옥수수, 대파, 고구마, 땅콩 모종… 을 심고

당근 씨앗을 뿌렸다.

손바닥만 한 정원 텃밭엔 허브를 심었다. 로메인, 루꼴라, 바질, 고수, 민트… 건드리기만 해도 향기가 난다.

정원과 마찬가지로 텃밭은 아버지가 주관하시고 나와 다른 가족들이 보조 역할을 하는 가족 텃밭이다.

모종만 심어 두고 방치하면 수확을 할 수 없다. 곁가지로 자란 모종들의 순을 따주고, 물도 주고 흙을 모아 북돋아 주고, 소독도 해주고, 잡초들도 뽑아주고, 아이를 키우듯 애정 어린 정성과 사랑을 쏟아부어야만 탐스럽고 맛있는 열매를 맺는다.

어느 해 잘 자랐던 모종이 다음 해엔 열매를 맺지 못할 때도 있고 크게 기대하지 않았던 작물이 잘 자랄 때도 있다. 아무리 정성을 들여도 원인을 모른 채 결실이 없을 때는 속수무책으로 그저 하늘의 운에 맡기고 기다리는 수밖에 없다. 자연 앞에서는 인간은 아주 나약하다.

이제는 수확의 계절이다.

굵은 오이는 세로로 길게 잘라 소금에 절여 베보자기에 꼭 짜서 고추장, 매실청 그리고 참기름을 넣고 오이생채를 만들기도 하고, 끓는 소금물을 부어 오이지를 만들어 여름 내 반찬으로 먹는다.

가지와 호박은 들기름에 굽고, 그 위에 풋고추를 식감 있게 잔뜩 썰어 넣고 국간장과 갖은 양념을 넣은 양념장과 함께 식탁 위에 올리면 가족들이 좋아한다.

단단하게 살이 꽉 찬 양배추는 등분해서 호박잎과 함께 찜기에 넣고 찐다. 호박과 표고버섯, 고추 등속을 가득 넣고 끓인 강된장과 짝꿍이다.

고구마 줄기 볶음, 깻잎 양념찜, 겨울에 땅속 깊이 묻어둔 항아리에서 스스로 찬 기운과 소금의 발효로 신기하게 맛있어진 동치미⋯ 텃밭에서 수확한 채소로 부지런히 음식을 만든다.

손가락 만했던 옥수수 모종은 거친 남자처럼 수염이 자라고 굵은 대를 뽐내며 맛있는 옥수수를 맺었다. 또, 애플 수박, 망고 수박, 일반 수박까지. 천지창조의 순간처럼 자연은 조그만 싹에서 시작해 줄기를 길게 뻗어내 맛있는 열매를 선물해 준다. 나도 씨앗으로 시작해 햇빛과 바람과 눈, 비를 맞고 지금의 단단한 내가 되었을 것이다.

갓 따서 바로 찐 옥수수는 농사를 지어본 사람만 맛볼 수 있는 특별한 맛이다. 직접 재배한 채소들로 만든 음식을 온 가족이 둘러앉아 먹으며 그 시간을 오래도록 가슴에 기억한다.

직접 노동해서 얻은 식재료로 음식을 만들고 땅이 주는 무한성에 감사하고 환경에도 조금이나마 도움이 되는 삶을 살려고 한다. 계절의 순환을 보면서 나의 인생 사이클을 돌아본다.

자연은 나의 인생의 스승이다. 겸손해야 하고 받아들일 때를 알아야 하며 가야 할 때와 멈출 때를 알게 해준다.

집요정

"집요정은 비질과 망치질, 요리와 가구 수리를 한다."

칼 라르손의 이 표현만큼 살림을 잘 설명하는 말은 없는 것 같다.

둔탁한 소리를 내며 시원한 바람을 날리는 헌터(Hunter)의 앉은뱅이 선풍기를 보았던 그때부터 나는 빈티지 소품을 좋아하기 시작했다. 네 개의 아이보리색 날개와 몸통을 굵은 철로 동그랗게 감싼 형태는 오래된 영화 속에서 보았던 그것과 닮았다. 돌아가신 시아버지께서 오랫동안 사용하셨던 거라 조심스럽게 "아버님, 제가 새 선풍기 사드릴게요. 이 선풍기는 저에게 주세요."했더니 아버님은 "그냥 가져가거라."하시며 흔쾌히 주셨다.

30년도 지난 일이다.

그때 받은 선풍기는 '빈티지'가 되었다.

'아르테미테 톨로메오' 검은색 테이블 스탠드는 지금처럼 공식 매장이 없던 때에 알레시에서 구입해서 내 책상 위에 두고 있다. 간접조명에 관심을 갖고 최초 구입한 스탠드여서 정이 더 간다.

여행지 벼룩시장에서 찾아낸 앙증맞은 빨간 둥근 갓을 우산처럼 받치고 있는 듯한 모양의 일본제 집게 램프에 대한 추억도 재미있다. 우리 집 부엌 한 켠엔 다양한 추억을 품고 있는 집게 램프 여러 개가 정겹게 놓여있다.

천장에도 조그만 빈티지, 앤티크 조명이 노란 불빛으로 따스하게 집안을 감싸준다.

우리는 지나치게 밝은 빛 때문에 시력을 잃기도 한다. 어둠은 비로소 눈을 밝게 한다. 어둠이 있어야 밝은 것들과 어우러져 아름다운 무늬가 생기기도 한다.

나의 램프 사랑은 현재 진행형이다.

나는 예쁘고 실용적인 디자인의 살림 도구를 좋아한다.

빈티지 소품들은 실제 사용할 수 있고 실내장식의 효과

도 있는 것으로 고른다.

하늘색 법랑 양동이는 물청소할 때 이리저리 요긴하게 사용하고, 뚜껑과 가느다란 손잡이가 있는 작은 크기의 법랑은 쓰레기통으로 사용하기도 한다.

철제와 법랑, 알루미늄, 목재, 천연 섬유 소재의 소품을 보면 갖고 싶어 안달이 난다.

초록색 빈티지 철제 바구니를 들고 밀짚모자를 쓰고 동네 마트에 장을 보러 갈 때면, 장바구니로 나를 먼저 알아보는 단골 가게 주인들의 따뜻한 환대를 받는다.

고수 꽃과 루콜라 꽃을 흰색 법랑에 꽂으면 마치 유럽의 시골집처럼 소박하다.

파란색과 녹색 법랑 사각 트레이는 화장품을 담아 두거나 바나나나 빵과 같은 간식을 담아 두면 사랑스럽다.

같은 용도라도 난 디테일에 집착하고, 색에 민감하고, 아름다운 것들에 반응한다.

성글성글 속이 비치는 청회색 린넨 커튼 사이로 햇빛이 내려앉는다.

내가 어렸을 때 거실에 달았던 엄마의 커튼은 지금 우

리 집 거실에 걸려있다.

고급스런 레이스 원단에 은실로 작은 꽃들을 수 놓은 큰 폭의 두 쪽 커튼은 특히 햇빛이 강하게 비치는 날에 그 진가를 보여준다.

엄마가 나였던가? 내가 엄마였던가?

이 커튼을 사용했던 엄마의 나이를 훌쩍 넘었다.

물건은 때로는 오래된 기억을 소환한다.

미국에서 공부할 때 쓰던 식탁을 6인, 8인, 10인까지 확장해서 지금까지 쓰게 될 줄 그때는 몰랐다. 지금은 이렇게 질 좋은 식탁을 만들기가 어렵다고 한다. 가족이 늘어나도 충분히 여유 있게 쓸 수 있다.

식탁과 그릇장, 몇 개의 가구들까지 더해 예쁜 미국 가정집 느낌이 난다는 칭찬에 입꼬리가 살짝 올라간다.

빈티지와 앤틱 그리고 모던함이 잘 어우러졌을 때 인테리어의 느낌이 세련돼 보인다. 빈티지와 앤틱만으론 무겁고 구닥다리 고물 느낌이 나지만 현대적인 가구와 요소들이 가미되면 중용을 맞출 수 있다. 가구는 모던하게 하고 소품을 중간중간에 빈티지로 배치하면 적당히 조화롭다.

자연소재의 질감은 눈이 즐겁다.

물건들이 잘 정돈되어 있는 집에서, 나는 질 좋은 가구,
식기, 책, 장식품, 좋은 물건을 일상적으로 편안하게 그리
고 오래 사용하고 있다.

집주인이 자기 집 구석구석에 대해 자신의 언어로 설명
할 수 있다는 것은 그 공간의 진정성이 높다는 걸 의미한
다.

가족들과 함께 가구와 소품을 고르고 그것들을 배치하
고, 깔끔하고 따뜻한 침구들로 가족이 편안하게 지낼 공간
을 마련하고자 늘 애쓴다. 그런 일상 속에서 나는 가족의
소중함을 느끼곤 한다. 집요정처럼.

〈큰 딸이 그린 부엌 한컨〉

안녕히 다녀왔습니다

학창 시절 시험공부를 할 때 난 고기반찬으로 기운을 얻었고, 어른이 되고는 기운이 떨어지고 정신적으로 지치고 힘들 때 여행을 떠난다. 여행을 마치고 돌아왔을 때, 나는 힘을 얻고 기운이 넘친다. 일상생활로의 복귀에 충분한 충전이 된다.

첫 자유여행을 파리로 떠났다.

고등학생 딸아이, 언니와 셋이서 여행책 한 권 달랑 들고 숙소 주소와 전화번호만 가지고서.

10년 전 일이다.

많이 떨리고 겁났지만 구글맵을 볼 줄 아는 딸아이와

방향감각이 뛰어난 언니, 그리고 영어 대화가 가능한 나. 이렇게 셋이서 루브르 박물관 근처에 있는 오래된 아파트를 빌려 2주 살이를 시작했다. 며칠간 루브르 박물관을 샅샅이 훑었다. 딸은 처음 먹어본 마카롱과 모히토 맛에 반했다.

그로부터 5년 후, 처음으로 혼자서 여행을 떠났다.

바로셀로나에서 일주일, 마드리드에서 일주일을 머물며 여행했다.

씩씩하게 구글맵 하나 믿고 미술관뿐 아니라 내가 그곳에서 하고 싶었던 것들을 해보고 또 어떤 날은 느긋하게 하루를 시작하기도 했다.

혼자여서 좋은 여행이었다.

혼자 하는 여행은 온전히 '빼기 여행'을 할 수 있다. 내가 원하는 것을 오롯이 할 수 있고 하기 싫은 것은 굳이 안 해도 상관없다.

난 그렇게 비워내고 또다시 채우기를 반복했다.

언젠가부터 우리나라에서 북유럽 스타일이 유행하기 시작했다.

가구, 조명, 패션, 삶의 태도까지 단순하고 견고한 북유럽 스타일이 여러 분야에서 꾸준히 주목을 받았다.

라디오였나? 덴마크 코펜하겐 이야기를 하고 있었다. 덴마크 사람들이 행복지수가 높다고.

건축물, 인테리어 소품들이 아주 예뻐서 볼거리가 많다는 이야기를 듣다 보니 솔깃했다. 또 휘게(Hygge) 라이프를 살고 있는 덴마크 사람들이 궁금해서, 그렇게 즉흥적으로 덴마크 코펜하겐 여행을 결정했다. 이번엔 큰 딸과 함께 였다.

북유럽 사람들에게 숲은 모든 생명의 탄생지이며 안식처다. 비록 생명을 다한 육신은 소멸하지만 그들의 기억은 숲속에 남아 영원한 생명으로 부활한다고 믿는다.

이러한 뿌리 깊은 믿음이 자연 친화적인 삶을 살게 하는 원동력이 아닐까?

덴마크 호텔은 일회용품도 최소한으로 제공한다.

글립토테크 미술관에서 보았던 덴마크 화가들의 그림은 색감이 강렬하지 않고 자연색의 편안한 느낌이다. '데니쉬 블루'가 있다는 것도 처음 알았다.

덴마크 사람들은 묻지도 않았는데 먼저 상대의 마음을 읽기라도 한 것처럼, 낯설어 머뭇거리는 우리에게 필요한 친절을 베푼다. 가게 직원들도 가구와 조명 등과 같은 제품들도 마음껏 만져보게 하고, 앉게 하고, 오래도록 즐기게끔 편안하게 해준다. 친절의 나비효과일까? 우리도 함께 상냥해진다.

대부분 사람들의 차림새는 수수하고 표정은 편안해 보였다.

넓게 잘 포장된 자전거 도로에는 바이킹의 후예답게 체격이 건장한 남녀 사람들이 자전거로 쌩쌩 달리며 생활 속 운동으로 신체를 단련하고 있었다.

호텔 오래된 여닫이 창문 너머로 보이는 거리의 가로등마저도 노란 간접 조명등이다. 지하철 외관과 실내디자인도 세련되고 현대적이며 실용적이다. 유럽이지만 코펜하겐은 감시카메라도 곳곳에 있어서 안전하고 편리해 현대와 과거가 공존하는 도시 같다. 코펜하겐은 어디를 둘러봐도 볼거리가 넘친다. 단순하고 예쁜 색감의 디자인, 인테리어 소품, 조명, 침구류, 목욕용품, 양초, 뜨게 용품, 꽃을 파는 가게들이 많다. 리빙 강국임이 확실하다.

어스름이 내린 밤거리에서 바라본 불 켜진 아파트의 거실엔 책장에는 책이 가득 꽂혀있고 초록 화분들이 놓여있고 스탠드의 감색 불빛이 집안을 은은히 비추고 있었다.

〈큰 딸 그림〉

어릴 때부터 그들은 타인을 존중하도록 교육받고, 독서를 통해 내면의 근육을 단단히 하고, 자연을 가까이 두고, 가족들과 단란한 삶을 살면서 불필요한 것들을 비워내고 단순화한다. 그렇게 그들은 행복하고 여유로운 삶의 방식인 '휘게(Hygge)'를 실천하고 있었다.

한 나라의 가치는 도시, 박물관, 예술, 사람, 음식에서 나온다고 한다.

이 모든 것에서 높은 수준을 갖춘 덴마크 사람들은 사랑하는 사람들과 함께 하는 시간을 소중히 여긴다. 소소하고 소박한 일상 속에서 찾은 삶의 여유와 즐거움이 그들의 행복지수를 높인다는 것을 알았다.

낯선 길을 걷다 뜻밖의 풍경을 만나면 멈추듯, 여행은 평소 가지 않던 길을 가보고 새로운 언어를 만나고 낯선 음식을 먹으며 세계라는 거대한 공간을 통해 다양한 삶의 방식을 구경하는 것이다.

나는 새로운 장소에서 흘러가는 풍경을 바라보며 충만한 사유를 하고, 새로운 것들을 체험함으로써 삶을 재미있고 의미 있게 살아갈 재료들인 '세상을 보는 안목'을 넓히며 나의 생활 근육을 단단히 만들고자 한다.

코펜하겐에서 사 온 짙은 회색 커피 그라인더로 커피콩을 갈 때면, 문득문득 딸과 함께 했던 재미난 추억들이 떠올라 미소 짓곤 한다.

여행 가방은 늘 눈에 보이는 곳에 놓아둔다. 언제든지 여행을 떠날 수 있도록.

그런 마음으로 살아가고 싶다.

또다시 "안녕히 다녀왔습니다" 하고 말하면서.

사색

조예나

철학을 사랑하는 새 신부. 스위스에서 경영학을 전공했다. 졸업 후 아이들에게 영어를 가르치다가 20대에 주부가 되었다. 삶의 의미에 대해 탐구하고 사색하는 것을 좋아한다. 책을 읽으며 틈틈이 기록했던 필사 노트를 인용해 뒤늦게 갖게 된 작가의 꿈을 이루어 내고 있다.

존재한다는 착각

자아에 대해 명확하게 설명할 수 있을까? 프랑스의 철학자 데카르트는 말했다. "나는 생각한다, 고로 존재한다." 인간이 생각을 통해 존재를 인식한다면 우리는 과연 무엇을 위해 존재하는 것일까?

종교적 관점에서는 인간이 깨달음을 통해 덕을 따르고 자비를 실천하기 위해 존재한다고 본다. 반면 과학자들은 인류를 그저 생물학적 진화의 결과로 설명하며 인간의 존재 이유보다는 단순한 진화 과정의 결과로 이해한다. 이처럼 인간의 존재는 너무나도 다면적이고 애매모호한 특징 때문에 그 근원의 명확한 정의나 답을 찾기 어렵다.

인간의 본성은 아주 먼 옛날부터 이 땅에서 많은 진화 과정을 거쳐왔다. 생존을 위해 목숨을 걸고 식량과 자원을 구해야만 했던 시절에는 불안감과 두려움이 위험을 감지하고 회피하게 했을 것이다. 부정적인 감정을 통해 생존율을 높였던 것이다. 이에 따라 인간은 자연스레 두려움과 불안을 더 섬세히 느끼도록 진화했다. 또한 현재에 만족하고 가진 것에 행복을 느끼는 사람보다 무엇을 가지든 크나큰 불만을 가져 더욱 크고 튼튼한 보금자리나 무기를 쟁취했던 자가 유전자를 더 많이 퍼트렸을 것이다. 이에 따라 인간은 세대를 거듭하며 더 좋은 것, 더 많은 것을 원하는 '욕망'을 가지도록 진화해 왔다.

결국 불안, 두려움, 욕구의 목적은 생존이라는 것이다. 인간은 생존하기 위해 불행하기를 택했다는 것일까? 인간이 행복하기 위해 창조되었다면 우리는 왜 불행하도록 진화했던 것인가?

지금 우리는 더 이상 생존에 목숨을 걸고 기본적인 자원을 얻어야 하는 시대가 아닌 넘쳐나는 자원을 손쉽게 이용하고 스마트폰으로도 모든 것이 가능한 풍족한 시대에 살고 있다. 하지만 우리는 여전히 너무나도 두렵고 불행하다. 일어나지 않은 일에 대해 걱정하고 타인의 시선을 과하게 인식해 평가당하길 두려워하며 부질없고 탐욕스러운 욕망에 온 정신을 쏟아부으며 끊임없이 고통받는다.

더 많은 것에 대한 욕구가 독이 되어 모든 것을 다 가진 최고의 부자가 오히려 가장 큰 불행을 겪는 일이 벌어지고 있다. 어째서 숱한 재벌과 유명인들이 정신병에 시달리고 술과 마약 같은 것에 빠지며 극단적인 선택까지 하게 되는 걸까?

쇼펜하우어는 말했다. "인생은 마치 시계추와 같으며 행복이란 결핍에서 충족으로 넘어가는 그 짧은 찰나의 만족감이다." 인간은 결핍으로 인해 불행하며 충족 속에서 행복감을 느낀다. 그리고 충족의 과잉은 또다시 불행으로 되돌아간다. 욕망을 얼마나 잘 다스리냐가 행복의 핵심이라는 것이다.

더 많은 것과 더 좋은 것을 바라는 인간의 욕망은 끊임없는 행복과 불행의 악순환일 뿐이다. 더 많은 것을 원할

수록 더 적은 것만을 얻게 된다. 반대로 부족함을 기꺼이 받아들이고 감사한다면 오히려 더 많은 것이 주어진다.

행복이란 물질이 아니라 과정이다. 물질이라는 것은 어떤 과정 중에 있는 모양과 형태를 언급하는 하나의 말이며 소리이다. 이 과정이 무엇인지는 한정되지 않는다. 왜냐하면 과정이라는 것은 어떤 고정된 관념이나 수단에 의하여 정의될 수 있는 '어떤 것'이 아니기 때문이다. 다시 말해 행복은 물질이 아니라 인간관계나 추억처럼 시간이 흘러도 빛이 바래지 않는 것들에 대한 가치판단에 달려있다.

갈망하던 물건을 소유하는 것의 흥분은 그리 오래가지 않지만, 그것을 손에 얻기까지 해 왔던 기대와 노력에 대한 기억은 변하지 않는다. 마음이 잘 맞는 친구와의 즐거운 대화, 사랑하는 이와 함께 하는 식사, 따뜻한 햇살을 받으며 해변을 걷는 것과 같은 일은 절대로 진부해지지 않는다.

꿈에 그리던 멋진 드림카를 사게 된 당신을 떠올려보라. 자동차를 얻었다는 기쁨은 그리 오래가지 않을 것이며 시장에는 이내 더 좋고 비싼 차가 쏟아져 나온다. 당신은 또다시 더 좋은 것을 갈망하게 되고 그 욕망은 다시 고통이 되어 자신을 불행하게 한다. 현재 가진 것에 의식을 집중하고 감사하는 것만이 행복해지는 유일한 길이다.

불행하기로 선택하여 불행한 사람은 어디에도 없다. 불행해야만 생존했던 인간의 본성이 무의식 속에 깊게 뿌리박혀 있는 것이다. 인간이 자유의지를 가진다는 것은 크나큰 착각이다. 의식적으로 결정을 내린다고 생각하지만, 인간의 행동과 의사결정은 주로 무의식적인 과정에 의해 이루어진다. 이는 특정 단어나 이미지를 보고 나면 그와 관련된 행동이나 생각이 떠오르게 되는 현상인 프라이밍 효과(priming effect)로 증명된 바 있다. 바나나를 보고 원숭이를 떠올리는 것과 같이 순간순간 떠오르는 생각은 의지가 아닌 인간의 본성이다. 그리고 이것을 통해 우리는 생존하도록 진화해 왔다.

우리는 기나긴 세월을 통해 진화된 본성과 행복의 가치를 알아차리고자 하는 의식이 끝도 없이 충돌하는 혼란스러운 과정에 살아가고 있다. 우리의 의식이 본성을 이겨내

고 행복한 삶을 추구하는 과정은 마치 끝없는 수련과도
같다.

알아차림

자기 계발에 쏟는 모든 노력은 소용이 없을 뿐만 아니라 대게는 오히려 역효과만 난다. 역설적이게도 자기 자신이라는 것은 사실 존재 하지조차 않는다. 더 나은 존재가 되겠다고 지속적으로 애쓰는 것이야말로 부질없는 짓이다.

인간을 마음과 신체라는 두 구조를 지닌 이중적인 존재로 생각해 보자. 그중 실제로 존재하는 것은 '생각'이 아니라 '나'이다. 다시 말해 두개골 속 '뇌'가 아닌 '원초적 의식'만이 존재한다. 두개골 속 뇌가 하는 생각에 깊이 빠진 사람일수록 더 많은 문제를 안고 살아간다. 철학자이자 작가인 앨런 와츠가 말했듯, "항상 생각만 하는 사람은 생각

밖에 생각할 것이 없다.” 그래서 현실에서 벗어나 환상의 세계에 빠져 사는 것이다. 문제를 해결하는 데 의식을 쏟아붓는 자는 점점 더 그 문제에 집착하게 될 것이고 그 고통으로 더 곤란한 지경에 놓일 것이다.

인간은 괴로움을 스스로 창조해 내려는 습성이 있다. 이는 절대적인 평안한 상태를 견딜 수 없어하는 인간의 본성 때문이다. 우리는 본능적으로 고통을 찾아 극단적인 망상에 젖어들고 결국 생각에 진정한 '나'를 빼앗기고 만다. 이런 자신을 처음으로 자각하게 되면 정말로 기이한 느낌이 든다. 예컨대 중요한 미팅을 앞두고 '지각이나 말실수를 하지 않을까' 혹은 '회사에서 해고를 당하면 어떡하지'와 같은 습관적으로 만들어진 생각들이 마치 실체인 것처럼 느끼게 되고 그 안에 파묻혀 망상과 더불어 시간을 허비하게 되는 것이다.

이러한 좌절의 근원은 우리가 미래를 위해 산다는 점에 있다. 그리고 그 미래는 오로지 뇌 속에서만 존재하는 하나의 추상이며 경험으로부터 끌어낸 이성적인 추론일 뿐이다. 우리의 원초적인 의식은 완전히 현재 속에 존재하며 이 순간에 존재하는 것 외에는 아무것도 깨닫지 않는다. 하지만 우리 뇌의 욕망은 허황되고 지칠 줄 모르는 성향을 지녔기 때문에 그 욕망을 끌어내린다는 것은 어렵다. 마치 그림자가 본래의 실체에서 떨어져서는 존재할 수 없는 것과 같다.

 생각이라는 개념이 환상일 뿐이라 할지라도, 혹은 우리의 원초적 자아가 그것을 이겨낼 하등의 이유나 의지조차 없게 느껴진다고 할지라도 희망이라는 것은 어쩌면 가장 중요한 것일지 모른다. 희망이란 걱정, 불안, 우울 같은 망상으로부터의 탈출을 기대하는 것이라기보다는 끊임없이 변하는 경험의 흐름 같은 것에서 비롯된다. 오직 이 좌절들을 진정으로 받아들이고 대면할 때에만 기대할 수 있는 것이 희망인 것이다. 이것은 마치 원수를 사랑하는 것과 같다. 희망은 다른 모든 것과 마찬가지로 갈구하지 않을수록 더 많은 곳에서 발견된다.

 당신이 무슨 수를 써도 머릿속에 있는 뇌의 생각 활동을 멈추거나 약화시킬 수 없음을 명심해야 한다. 하지만 우리는 생각이라는 환상을 알아차렸기에 그것의 내용을 심각하게 받아들이지 않을 수 있다. 생각이 가벼울수록 부정적 감정은 약해지기 마련이다. 내면의 감정을 그저 지켜보라. 지켜봄으로써 판단이 멈춰진다. 〈지금 이 순간을 살아라〉의 저자 에크하르트 톨레는 삶의 순간순간을 있는 그대로 받아들이고 저항하지 않는 자세가 중요하다고 말한다. 그가 말하는 판단하거나 평가하지 않는 태도는 우리가 망상의 대가인 괴로움을 줄이고 더 평화롭고 의미 있는 삶을 살기 위해 반드시 필요한 의식 상태인 것이다.

과도한 생각과 동일시되어 있는 자신을 알아차리고 온전히 깨어 있는 상태로 그것들을 그저 지켜본다는 것은 종종 매정함, 냉정함으로 오해받기도 한다. 그러나 예를 들어 어떤 일을 '반드시 잘 해내야만 한다'라는 집착에서 벗어나 잘 해내고 싶다는 자신의 감정만을 수용하고 혹여 그것이 잘못되더라도 스스로 그것을 온전히 선택한 듯 살아간다는 것, 그리고 그것을 타인에게 대입하여 남들의 괴로움에도 냉정하다는 것은 오히려 매우 깊은 수준의 공감에서 비롯된다. 이것은 마치 불교의 무아(無我) 개념과 유사하다.

우리는 생각과 의식을 알아차리고 원초적 자아로써 자신을 지켜보는 것을 명상의 과정을 통해 경험한다. 이와 같은 연습을 통해 우리는 지금 그대로도 아무 문제 없다는 앎의 고요함을 체험할 수 있다. 끊임없이 본성을 드러내는 우리의 생각을 무력화하고 생각은 오로지 자신의 창의적 인식 행위 안에서만 존재한다는 사실을 알아차리는 것이다.

현재의 순간에 완전히 집중하는 것이 진정한 영적 깨달음의 열쇠이다. 과거나 미래에 대한 집착이 우리의 고통과 불행의 원인이며 지금 이 순간에 존재함으로써 우리는 마음의 평화를 찾을 수 있다. 기억하라. 환상은 애초부터 실재한 적이 없다. 지금 이 순간만이 유일한 실재이다.

인간의 삶은 본질적으로 무의미하다. 우리는 인간의 존재가 우주의 무정함과 우연성에 의해 결정된다는 것을 인정해야 한다. 모두가 존재에 대한 깊이 있는 사색을 통해 이런 사실들을 깨달아야만 한다. 인간은 본능적으로 삶의 의미를 찾으려고 하지만 그 의미는 결국 임시적이고 상대적인 허상일 뿐이다. 그러나 존재를 완전히 이해하거나 통제

할 수 없음에도 불구하고 우리는 삶과 가치를 지키기 위해 저항해야만 한다.

 모든 존재와 현상은 서로 연결되어 있다. 그 무엇도 독립적으로 존재할 수 없으며 고정되거나 영원하지 않고 끊임없이 변화하고 상호작용한다. 양자 물리학에서는 이와 같이 분리된 입자들이 서로 얽혀 있는 양자 얽힘 현상을 입증했으며 아인슈타인은 이를 "원거리에서의 유령 같은 작용(spooky action at a distance)"이라 표현했다.

 이처럼 현실은 인간의 자유 의식과 긴밀히 얽혀 있고 상호 의존하며 우리의 의식이 현재를 창조한다. 우리는 삶을 진지하고 무겁게 받아들이기보다는 하나의 놀이처럼 여겨야 한다. 나 자신은 창조자이다. 그리고 삶은 단순히 즐거움과 창의적 표현의 공간일 뿐이다. 우리의 존재가 이토록 거대하고 광활한 우주와 한 몸임을 절대로 잊어서는 안 된다.

사랑한다는 것

사랑이란 인간만이 누릴 수 있는 특권 같은 것일까? 동물들에게서 비슷한 것을 발견하기도 하지만 그들의 애착은 본능과 생존에 기반한 것이며 복합적인 인간의 사랑과는 본질적으로 다르다고 본다. 사랑은 인간 경험의 가장 보편적이면서도 복잡한 현상 중 하나이다. 앞서 말한 걱정, 불안, 두려움 등이 모두 틀림없는 망상이라면 사랑 또한 그저 허상일 뿐인가?

인간의 사랑은 실존함을 인지하는 것에서부터 유래한다. 인간은 자기 자신을 아는 생명이다. 자기 자신에 대해 인식하며 원하지 않았음에도 태어나고 자연과 사회의 힘 앞에서 자신의 무력함을 알게 되며 계속해서 불확실한 미래로 쫓겨난다. 확실한 것은 과거뿐이고 미래에 대해 확실한 것은 오직 죽음뿐이다. 이러한 무소불위 운명 속에서 모두가 본질적으로 아주 고독한 존재이며 이로 인해 사랑이라는 도피를 갈망한다.

사랑이란 이러한 분리 상태의 고독함으로부터 벗어나 합일을 갈망하는 상태라고 할 수 있다. '분리'란 무력하다는 것을 의미하며 격렬한 불안의 원천이 된다. 우리는 태어나자마자 어머니와의 분리를 경험하며 자아를 통해 어쩌면 하나의 실체로 이루어진 우주와 분리된 개인의 존재를 인식하게 된다. 인간이 가장 먼저 경험하는 것은 모든 차원의 분리일 것이다. 원초적 결합에서 벗어날수록 분리 상태를 극복하기 위한 인간의 욕구는 더욱 강렬해진다.

내가 남들과 다르다는 것, 군중과 약간 떨어져 있다는 것처럼 아주 사소한 것에서 우리가 느끼는 크나큰 공포를 통해 인간의 분리되지 않으려는 욕구가 얼마나 절실한가를 이해할 수 있다. 때로는 술, 마약, 성매매 같은 것들을 통해 외부 세계를 사라지게 함으로써 그토록 두려워하는 고립감 또한 사라져 버리게 하지만 이러한 도취 상태가 지나가고 나면 더욱 심각한 분리감을 느껴 그것들에 더욱 자주, 강력하게 의존하게 된다. 이러한 절망적인 노력은 결과적으로 분리감을 더욱 증가시키며 절대적인 해결책이 되지 못한다. 사람들은 사랑에서 마침내 고독에서 벗어날 피난처를 찾아낸다.

〈사랑의 기술〉의 작가 에리히 프롬은 사랑을 감정이 아닌 능동적 활동으로 보았다. 사랑한다는 것은 대상에 대해 끊임없이 적극적인 관심을 두는 것이며 실증이라는 게으름이 끼어들 여지가 없는 상태이다. 사랑에 빠지는 것이 아니라 사랑이라는 행위에 능동적으로 참여하는 것이다.

우리는 '주는 것'을 통해 이러한 활동을 한다. 우리는 때때로 준다는 것을 무엇인가를 빼앗기거나 포기하는 것과 같은 희생의 개념과 혼동하고 자기 자신을 주는 것, 즉 사랑하는 것을 두려워한다. 하지만 사랑에서 준다는 것은 단순한 물질적인 개념이 아닌 자신의 에너지를 사용하여 다른 사람을 위한 무언가를 창조하거나 기여하는 것을 의미한다.

주는 것은 진정으로 자신을 표현하는 것을 의미하기도 한다. 주는 것은 받는 것보다 더 즐겁다. 이러한 행위 자체를 통해 우리는 자신의 능력, 힘, 부(富)를 경험한다. 준다는 것은 부자임을 의미한다. 많이 '가진 자'가 부자가 아니다. 많이 '주는 자'가 부자이다. 긍정심리학의 창시자 마틴 셀리그만은 인간이 이타적인 행위를 할 때 옥시토신, 도파민, 세로토닌 같은 긍정적인 신경전달물질의 분비가 촉진된다는 사실을 밝혀냈다. 주는 것을 통해 더 큰 기쁨과 만족감을 느끼게 된다는 것이다.

사랑은 대상을 보호하고 지키려는 강한 의지와 행동을 동반한다. 자식에 대한 인간의 모성애가 대표적인 예시이다. 이러한 사랑의 성격은 구약성서의 〈솔로몬의 재판〉에도 묘사되어 있다. 한 아이를 서로 자신의 아이라 주장하는 두 여인을 두고 살아있는 아이를 둘로 나누어 주라는 솔로몬의 판결에 진짜 어머니가 아이를 포기하는 것은 대상을 보호하기 위한 진정한 사랑의 본보기라 할 수 있다.

꽃을 사랑한다는 이가 그 꽃잎을 꺾어버린다면 그는 그

저 대상을 소유하고자 하는 행위에 불과하며 그것을 사랑이라 할 수 없다. 이는 사랑이 내포하는 존중의 개념과도 관련이 있다. 존중한다는 것은 모든 존재를 있는 그대로 받아들이는 것이다. 칸트의 윤리학에서 핵심이 되는 정언명령(定言 命令)에서는 인간을 수단이 아닌 목적으로 대해야 한다고 주장한다. 모든 존재의 고유한 가치와 존엄성을 인정하고 존중해야 한다는 것이다.

사랑한다는 것은 원하는 대상을 소유하거나 대상과 완전히 일체 되는 것이 아닌 그 존재를 존중하며 독립적인 존재로서 서로 융합하는 것이다. 사랑은 갈등이 없는 상태를 의미하지 않는다. 그것은 백일몽과 같은 완벽한 환상이다. 갈등이란 독립된 존재 간의 불일치이며 이는 본질적으로 완벽히 일치시키거나 해결할 수 없다. 서로의 존재와 욕구를 온전히 인정하고 이해하는 것이 존중의 진정한 요소이다.

자신을 사랑하는 것과 타인을 사랑하는 것은 분리될 수 없다. 자신을 수용하며 이해하고 사랑하는 것만이 타인에게도 사랑과 지원을 제공할 자격이 된다. 이러한 자기애는

과도한 자기중심성이나 자아도취인 나르시시즘과 구별되며 건강하고 균형 잡힌 형태의 자기애를 의미한다.

 사랑은 분리되어 온전히 홀로 서 있을 수 있는 능력이다. 분리를 극복하는 것은 매우 어려운 일이며 너무나도 불안하고 조바심 나는 일이다. 그럼에도 불구하고 진정으로 사랑한다는 것은 잘못된 합일에 대한 갈망이나 가족에 대한 근친상간적 애착에서 벗어나 온전히 홀로 서는 능력에 달려있다.

내면의 연금술

시간의 흐름이라는 것은 없다. 오직 의식이 인지하는 '지금'만이 존재한다. 옥스퍼드 대학 물리학 교수인 줄리안 바버는 그의 저서 〈The End of Time〉에서 우리가 경험하는 시간의 흐름은 현재의 연속적인 변화에 불과하며 오직 현재의 순간들만이 실재한다고 설명한다.

인간은 인식을 통해 시간의 흐름을 해석한다. 우리의 뇌는 변화하는 환경을 시간이 흐른다고 인식함으로써 사건들의 연속성을 이해한다. 예를 들어 움직이는 물체를 연속해서 찍은 사진들을 생각해 보자. 각 사진은 움직이는 물체의 순간들이며 사진들 사이의 변화는 시간의 흐름을 나타내지 않는다. 우주 또한 이와 마찬가지로 정지된 장면, 즉 실현될 수 있는 모든 현재로 구성되어 있다.

과거란 우리가 현재에 기억하고 있는 장면들에 불과하다. 과거는 현재의 변화에 의해 만들어진 하나의 인지적 구성물일 뿐, 실체로 존재하지 않는다. 미래 또한 현재 상태에서 우리가 예상하는 장면들이다. 미래는 현재의 상태에서 하나의 가능성으로 존재한다. 달리 말해 미래는 현재의 순간들 중 하나로 이미 존재하고 있지만 아직 경험하지 않았을 뿐이다.

우리가 과거에서 현재를 거쳐 미래로 나아간다고 느끼는 것은 장면들이 변화를 통해 연결되어 있기 때문이다. 각 장면은 독립적으로 존재하며 시간이라는 것은 이러한 장면들의 순서에 지나지 않는다. 실제로는 시간이라는 독립적인 개념이 존재하지 않고 상태들의 변화가 시간을 흐름처럼 보일 뿐이라는 것이다.

모든 가능한 순간들은 동시에 존재하며 우리가 경험하는 특정 순간은 무수한 현재의 가능성들 중 하나일 뿐이다.

우리는 생각과 감정을 이용해 이토록 다양한 가능성 중에서 원하는 현실을 끌어당길 수 있다. 이는 론다 번이 주창한 '시크릿'이라는 개념으로 인간의 사고와 의지가 현실을 창조할 수 있다는 '끌어당김의 법칙'에 기반한다. 우리가 원하는 모든 것은 이미 존재하며 그것을 현실로 만들기 위해 필요한 것은 오직 자신의 사고와 감정의 변화라는 것이다.

인간의 뇌는 현실과 상상을 구별하지 못한다. 신맛이 나는 레몬을 상상했을 때 표정이 일그러지거나 침샘이 자극되는 것처럼 뇌는 상상과 현실을 동일한 신경회로를 통해 처리함으로 둘의 차이를 구분할 수 없다. 또한 뇌는 부정어를 처리하지 않는다는 특징이 있다. 예컨대 우리는 매일 아침 명상을 통해 머릿속을 비워내겠다 노력하며 '생각하지 않겠다'라는 생각에 빠지는 자신을 발견하는 역설적인 상황에 맞닥뜨리게 된다.

이러한 사실을 이용해 다수가 제안하는 시크릿의 핵심은 '시각화'이다. 내가 그것을 이미 가진 것처럼 생각하고 행동하는 것이다. 하지만 현실적으로 와닿지 않고 불가능해

보이는 미래를 상상을 통해 억지로 믿으려 노력하는 것은 매우 힘든 일이다. 원하는 꿈, 집, 자동차, 연인과 같이 아직 갖지 못한 것들을 간절히 원하며 집착하는 것보다 수월한 방법은 지금 현재에 집중하는 것, 즉 '감사'하는 것이다. 지금 당연하게 누리고 있는 것들에 대해 더 많이 생각하고 집중할 때 우리는 더 큰 행복을 느낀다.

 하지만 어떠한 대가를 바라고 감사하는 것은 아무런 소용이 없다. "감사했기 때문에 반드시 꿈이 이루어지겠지"와 같은 협박성이 깃든 생각들은 오히려 부정적인 결과만을 초래한다. 진심으로 감사하고 행복을 느끼는 긍정적인 마음가짐을 통해 시크릿이 이루어진다. 무언가를 간절히 원하는 과정에서 발생하는 불안감과 조급한 마음이 생길 틈이 없기 때문이다. 긍정이나 상상은 과잉되는 순간 부정적인 사고로 전환된다. 과한 집착은 되려 목표를 멀어지게 하는 것이다. 지금의 당연함에 집중하는 것은 억지로 상상하고 애써 감사할 필요가 없는 행위이며 평온하게 느껴진다. 인간은 평온하고 자연스러운 상태에서 긍정적인 사고를 한다.

집착을 내려놓는 것 또한 쉽지 않다는 것은 명확하다. 인간은 본능적으로 자유를 갈망하는 특성이 있어 통제된다고 느낄 때 그 자유를 되찾기 위해 반대 행동을 하는 경향이 있다. 사회학자 잭 브렘(Jack Brehm)에 따르면 이는 '심리적 반발' 현상으로, 집착하지 않으려 노력할수록 오히려 더 집착하게 되는 반응으로 나타난다.

간절히 바라는 것을 포기하면 더 쉽게 이루어진다. 이는 목표를 완전히 버리는 것이 아닌 그 목표에 대한 집착과 강박을 내려놓는 것을 의미한다. 의식 연구로 널리 알려진 정신과 의사 데이비드 호킨스는 이와 같이 집착을 내려놓는 과정을 "항복(Surrender)"이라 표현했다. 에너지를 소모시키고 고통스럽게 하는 간절함으로부터 자신을 해방시키는 선택을 통해 우리는 세상으로부터 더 많은 것을 얻어낼 수 있다.

시크릿의 진정한 비밀은 바로 '확신'이다. 그리고 이러한 확신의 원천은 행동에 있다. 시크릿은 아무런 행동이나 노력이 필요치 않은 마법 같은 법칙이 아니다. 확신을 가지기 위해 단순한 시각화, 확언과 같은 상상만을 하는 것이 아닌 '행동'해야 한다. 행동하는 과정에서 자신감, 확신, 당연함이 생긴다. 이것이 시크릿과 노력이 하나라는 이유다.

 노력이란 죽을 만큼 인내하고 고통스러운 과정이 아닌 다가올 지금의 기쁨을 알아차리는 긍정의 과정이다. 또한 결과는 단순한 노력이나 간절함의 크기에 비례하는 것이 아니다. 원하는 것을 얻어냄으로써 영원한 행복이 주어진다고 생각하는 것은 어리석은 생각이다. 소망의 성취에서 오는 행복은 즉시 사라져 버리고 우리의 의식은 곧바로 또 다른 갈망으로 돌아선다. 시크릿으로 소망을 이루어 내는 것이 아닌 자신이 긍정의 노력으로 직접 선택한 모든 운명을 즐기며 살아가는 것이 진정한 삶의 의미인 것이다.

삶, goes on

발 행 | 2024년 07월 18일
저 자 | 삶, goes on(정다영,신혜원,조예나)
펴낸이 | 한건희
펴낸곳 | 주식회사 부크크
출판사등록 | 2014.07.15.(제2014-16호)
주 소 | 서울특별시 금천구 가산디지털1로 119 SK트윈타워 A동 305호
전 화 | 1670-8316
이메일 | info@bookk.co.kr

ISBN | 979-11-410-9594-9

www.bookk.co.kr